Wigilia z Markiem i Alicją

Marek and Alice's Christmas

Jolanta Starek-Corile
Illustrated by Priscilla Lamont

Polish translation by Jolanta Starek-Corile

- Pospiesz się, Alicjo! - zawołał Marek.
- Chwileczkę, muszę zapakować twój prezent! - krzyknęła Alicja.
- Mogę go obejrzeć? - zapytał Marek mając nadzieję, że był to quad.
- Nie wygłupiaj się, zrobisz to po kolacji - odrzekła Alicja.
- No dobra, ale już się pospiesz! Ja wychodzę się bawić - odpowiedział Marek.

"Hurry up Alice!" called Marek.
"Just a minute, I'm wrapping your present!" Alice shouted back.
"Can I see?" asked Marek, hoping it was a quad bike.
"Don't be silly, not until after supper," replied Alice.
"Ok, ok, but hurry up! I'm going out to play," said Marek.

Gdy Alicja wyszła na dwór, Marek zaczął rzucać w nią śnieżkami, a Borys próbował je złapać.
- Myślałem, że przyjdziecie mi pomóc - powiedział dziadek. - Złapcie za drugi koniec i wnieśmy tę choinkę do środka.
- Czy ta choinka jest dość duża, żeby pomieścić wszystkie nasze prezenty? - zapytał Marek.

When Alice came out, Marek threw snowballs at her. And Borys tried to catch them
"I thought you were coming to help me," said dziadek. "Grab the other end and let'
get this tree inside."
"Are you sure the tree is big enough for all our presents?" asked Marek.

- Ta choinka jest w sam raz - odpowiedział dziadek.

“I think the tree is just right,” replied dziadek.

Gdy choinka stała już bezpiecznie w domu, jej świeży sosnowy zapach wypełnił cały pokój. Mama z tatą przynieśli świąteczne dekoracje, a Alicja rozpakowała małe aniołki i papierowe łańcuchy, które przywieźli z Anglii.

Once the tree was safely inside, its fresh pine smell filled the room. Mum and Dad came with the Christmas decorations, and Alice unpacked the little angels and paper chains they'd brought from England.

W międzyczasie Marek pozbierał wszystkie czekoladkowe cukierki i rozwiesił je w jednym miejscu.
- Tak się nie robi, zobacz, jak to głupio wygląda - powiedziała Alicja.
- Robię tak, jak mi się podoba, ale i tak wyżej nie dosięgnę - odrzekł Marek.
- Wiesz dlaczego Boże Narodzenie w Polsce jest takie fajne - bo nie musimy czekać do pierwszego dnia świąt, aby otworzyć nasze prezenty! I jego twarz rozpromieniała z radości.

Meanwhile Marek took the chocolates and hung them all in one place.
"You can't do that, it looks stupid," said Alice.
"I can do what I like, and anyway I can't reach any higher," said Marek. "You know what's so cool about Polish Christmas — we don't have to wait till Christmas Day to open our presents!" And he beamed with joy.

Just then the doorbell rang. It was Uncle Waldek with fresh carp for the supper. Babcia was overjoyed. A visit from a man on Christmas Eve meant good luck.
"Are the fish still alive?" asked Marek. "I'm ready for fish and chips!"
"But you've just had breakfast," said Alice. "And you know that we have to fast till supper."
But Marek wasn't listening. He was too busy playing with the fish.

Właśnie wtedy zadzwonił dzwonek. Był to wujek Waldek ze świeżymi karpiami na kolację wigilijną. Babcia nie posiadała się z radości. Wizyta złożona przez mężczyznę w Wigilię była oznaką szczęścia.
- Czy te ryby są żywe? - zapytał Marek. - Mam ochotę na rybę z frytkami!
- Przecież jadłeś już śniadanie - powiedziała Alicja. - I dobrze wiesz, że musimy pościć aż do kolacji.
Ale Marek już jej nie słuchał, był zbyt pochłonięty zabawą.

- Bardzo żałuję, ale teraz nie mogę się z wami bawić. Mam dzisiaj dużo gotowania i przydałby się ktoś do pomocy - powiedziała babcia.

"I wish I could play with you, but there's lots of cooking to do, and I need some helpers," said babcia.

- Babciu, ja ci pomogę - odrzekła Alicja nakładając fartuszek, po czym wzięła do ręki drewnianą łyżkę i zaczęła nią mieszać mak. W chwilę po tym zawołała
- Mareczku, a ty nam nie pomożesz?
- Ja gotować nie lubię, ja lubię jeść! - odpowiedział Marek.

"I'll help," said Alice putting on an apron and taking the wooden spoon to stir the poppy seed mixture. "Marek, aren't you going to help?" she called.
"I don't like cooking, I like eating!" replied Marek.

Ponownie zadzwonił dzwonek. Była to prababcia z małą wiązką siana.

The doorbell rang again. It was prababcia with a bundle of hay.

- Dlaczego przyniosłaś siano? - zapytał Marek. - Czy na kolację przychodzą też zwierzęta?
Prababcia się roześmiała. - Siano kładziemy pod stołem, aby przypomnieć nam o tym, że Jezus narodził się w stajence na sianie - odrzekła, czule tuląc go do siebie.

Why have you brought hay?" asked Marek. "Are the animals coming to eat with us?"
rababcia laughed. "We put the hay under the table to remind us that Jesus was born
a stable, on a bed of hay," she said, giving Marek a hug.

- Wow, spójrzcie na to jedzenie! Czy ten stół się nie załamie? - zapytał Marek.
- Nie martw się, to bardzo mocny stół - odpowiedziała babcia.
- Ale dlaczego jest tu dodatkowe nakrycie? - spytała Alicja, myśląc że babcia pomyliła się w liczeniu. Babcia uśmiechnęła się.
- Zawsze stawiamy dodatkowe nakrycie. To dla niespodziewanego gościa, który nie ma gdzie spędzić Wigilii! - odrzekła.

"Wow, look at all that food! Do you think the table will break?" asked Marek.
"Don't worry, that's a very strong table," answered babcia.
"Why is there an extra plate?" asked Alice, thinking babcia hadn't counted right.
Babcia smiled. "We always put an extra plate and chair. It is to welcome anyone who has nowhere to go on Christmas Eve!" she said.

Wczesnym wieczorem przybyli pozostali członkowie rodziny.
Wszyscy przywitali się radośnie wołając ‘Wesołych świąt’.

In the early evening the rest of the family arrived.
“Happy Christmas!” Everyone greeted each other with a hug and a kiss.

Widzieliście już pierwszą gwiazdkę? - zapytał Olek.
Jeszcze nie, nadal jej szukamy - odrzekł Marek. - Ale DLACZEGO jej szukamy?
Pierwsza gwiazdka przypomina gwiazdę betlejemską. To znak do rozpoczęcia
vieczerzy wigilijnej - odpowiedziała Alicja.
Widzę ją!! - nagle krzyknął Olek i wszyscy spojrzeli na pierwszą jasną gwiazdkę.

Have you spotted the first star?" asked Olek.
Not yet, we're still looking," answered Marek. "But WHY are we looking for it?"
Well, it's like the star of Bethlehem. It's the sign for us to start our supper," said Alice.
I see it!!" Olek suddenly shouted and they all looked out at the first bright star.

Nadszedł czas kolacji wigilijnej. Babcia przyniosła opłatek, aby wszyscy domownicy połamali się nim i złożyli sobie świąteczne życzenia.

Now it was time for supper. Babcia brought in the blessed bread for everyone to share, while offering wishes.

- A ja życzę sobie, żebym dostał quada - powiedział Marek do swojej mamy.
- Nie wolno ci mówić takich rzeczy - zezłościła się mama. Życzenia składamy drugiej osobie, a my i tak nie jesteśmy w sklepie z zabawkami.
- Ale ja wcale nie myślałem o zabawkach - odrzekł Marek. - Jeśli Bóg jest tak wielki, to dlaczego nie może mi przynieść quada?
- Bo Bóg nie zajmuje się takimi rzeczami! - odpowiedziała mama.

"I wish I could have a quad bike," said Marek to his mum.
"You are not supposed to say things like that," said Mum crossly. "You offer wishes to another person, and anyway we are not in a toy shop."
"I wasn't thinking of toys," replied Marek. "If God is so great, why can't He bring me a quad bike?"
"Because it doesn't work like that!" said Mum.

Wkrótce po tym babcia z dziadkiem
odmówili krótką modlitwę
i wszyscy zasiedli do stołu.

Then babcia and dziadek said a prayer and everyone sat down to eat.

Nie zapomnijcie spróbować każdej potrawy - zachęcała babcia. - Im więcej otraw spróbujecie, tym bogatsze będzie wasze życie i bardziej będziecie pływać w dostatki.
Co to znaczy? - zapytał zdziwiony Marek.
To znaczy, że może w końcu dostaniesz tego quada - odrzekła Alicja.

'Now, don't forget to try everything," said babcia.
'The more dishes you try, the more rich and plentiful our life will be."
'What does that mean?" asked Marek, confused.
'It means you might just get your quad bike," nswered Alice.

After supper everyone gathered round to sing carols. Alice played *Silent Night* on her recorder while Marek sang in English.
"Why can't he sing in Polish?" asked Olek.
"Because he hasn't learnt it yet," answered Alice quickly.

Po kolacji wszyscy razem się zebrali i zaczęli śpiewać kolędy. Alicja grała na flecie *Cichą noc*, podczas gdy Marek śpiewał ją po angielsku.
- Dlaczego nie zaśpiewa jej po polsku? - pytał Olek dociekliwie.
- Bo jeszcze się jej nie nauczył - szybko odpowiedziała Alicja.

- Czy możemy otworzyć prezenty, zanim pójdziemy na pasterkę? - zapytała Alicja
- Ale ja chcę je otworzyć już teraz - marudził Marek i nie zauważył, że babcia podała pierwszy prezent Alicji.
- Wow, zawsze marzyłam o takim krakowskim ubranku! - powiedziała Alicja.
- Dziękuję, babciu! - i przytuliła ją z całych sił.

"Can we open our presents, before we go to Midnight Mass?" asked Alice.
"I want to open them now!" said Marek, but he hadn't seen that babcia had already given the first present to Alice.
"Wow, I've always wanted a dress like this!" said Alice. "Thank you babcia!" And she gave her a hug.

- I jak, dostałeś tego quada? - zapytał Olek
- Jeszcze nie - odrzekł Marek - ale jadłem, co się dało...
- A ty, Olek? - zapytała Alicja.
- Ja dostałem duży prezent na Mikołaja - odpowiedział. - Dzisiaj były tylko małe prezenty.

Marek nie mógł uwierzyć, że przegapił taką okazję. - W przyszłym roku przyjeżdżam na święta do Polski na samym początku grudnia - oznajmił.

"Did you get your quad bike?" asked Olek.
"Not yet," answered Marek, "and I tried almost every dish..."
"What about you, Olek?" asked Alice.
"Oh, I got my big present at the beginning of December," he replied. "We get them on St. Nicolas' day, today it's only small ones."
Marek couldn't believe he'd missed out. "Next year I'm coming at the beginning of December for the whole of Christmas," he said.

- Pospieszcie się, idziemy już na pasterkę - powiedziała babcia.
- Mogę zostać w domu z prababcią? - zapytała Alicja.
- Nie chcesz z nami iść? Będzie naprawdę fajnie, nie będziemy iść spać aż do późna w nocy - mówił Marek.

"Come on everyone, it's time to go to Midnight Mass," said babcia.
"Can I stay at home with prababcia?" asked Alice.
"Don't you want to come? It will be so cool to stay up late," said Marek.

- Ale ja nie będę kładła się spać - powiedziała Alicja. - Babcia mówiła, że o północy zwierzęta przemawiają ludzkim głosem. To moja jedyna szansa, aby porozmawiać z Borysem.

"I'm not going to bed," said Alice. "Babcia says that at midnight all the animals can talk. So tonight is my only chance to talk to Borys."

O północy Alicja z Markiem smacznie spali...

At midnight Alice and Marek were fast asleep.

The Family

Marek
Alice
Dzadek
Borys
Prababcia
Babcia
Waldek
Olek
record save play

Christmas Cookies

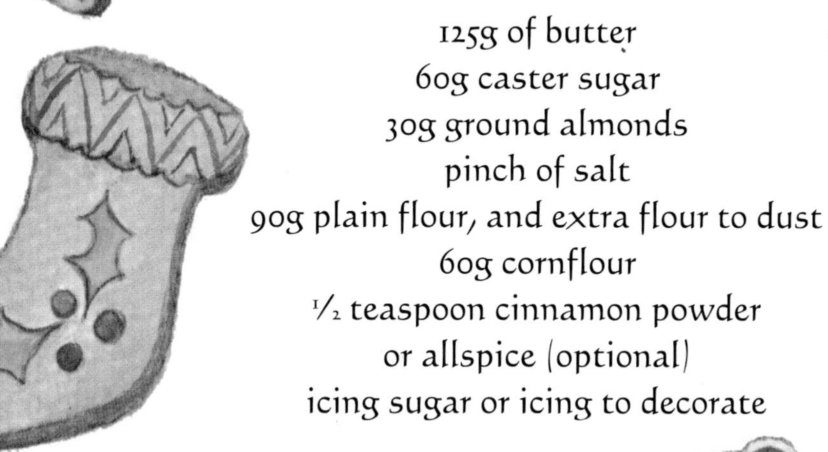

125g of butter
60g caster sugar
30g ground almonds
pinch of salt
90g plain flour, and extra flour to dust
60g cornflour
½ teaspoon cinnamon powder
or allspice (optional)
icing sugar or icing to decorate

Beat the butter and sugar in a mixing bowl until fluffy
Then add the remaining ingredients and beat until the mixture sticks together and can be formed into a ball.
Dust a pastry board with flour and turn out the mixture. Then knead gently for a couple of minutes to form a smooth dough.
Next roll out the dough until it is about 5mm thick.
Choose some Christmas shaped biscuit cutters and cut into shapes.
Using a palette knife transfer the shapes to a greased baking sheet. Bake in a preheated oven (180°C/350°F/gas mark 4) for 15 minutes or until golden.
Leave to cool on the tray before lifting off. Decorate the shapes with icing sugar

Advent Calendar
Touch the pictures and baubles to hear songs, information and activities.
record
save
play